waakkat
kerkklok
geknaag
schreeuwen
klimtouw
Fred
moestuin
epsop

nbd|biblion
10000002021552

Tais Teng

Mijn beste vriend is een vuile rat

met tekeningen van

Walter Donker

Boeken met dit vignet zijn op niveaubepaling geregistreerd en gecontroleerd door KPC Groep te 's-Hertogenbosch.

1e druk 2005

ISBN 90.276. 6214.2
NUR 282/286

Illustraties: Walter Donker
Samenleestips: Monique van der Zanden
Vormgeving: Lasso CS
Lettertype Read Regular: Natascha Frensch
Uitgeverij Zwijsen B.V. Tilburg

Voor België:
Zwijsen-Infoboek, Meerhout
D/2005/1919/411

Inhoud

1 De rat in het raam

'Fred!' hoort Fred roepen.
'Word eens wakker, luilak!'
Fred schrikt.
Hoorde hij daar echt een stem?
Het is midden in de nacht!
Alleen dieven zijn dan nog op.
Was Herman maar hier ...
Zijn vriend is voor niks en niemand bang.

'Hier zit ik, domkop!'
In het raam zit een rat.
Een knots van een rat.
Hij draagt een erg vreemde hoed.
Een hoed met botjes.
Hij heeft zelfs een zwaard.
Al kun je zien dat het nep is.
Een zwaard van hout.
'Ja hier, blinde kip!' roept de rat.
Hij wappert met zijn zwaard.
Fred staart de rat aan.
'Jij praat!' zegt Fred.
'Dat kan niet.'
'Waarom niet?' zegt de rat.

'Jij praat toch ook?'
'Maar ik ben een mens!' zegt Fred.
'Jij blij,' zegt de rat.
'Ga je mee?
Of blijf je in bed?'

Fred wil niets liever.
Fijn in zijn warme bed blijven.
Niet aan ratten of dieven denken.
'Meisjes blijven in bed,' zegt de rat.
'Bange meisjes.
Die durven niks.'
'Ik ben geen meisje!' roept Fred.
'Mooi zo,' zegt de rat.
'Kom dan mee.'
Fred zucht.
'Ik wil wel.
Maar de voordeur zit dicht.
Pap heeft de sleutel.
Onder zijn kussen.'
'Daar heb ik aan gedacht,' zegt de rat.
'Uit het raam hangt een klimtouw.'

Ze staan in de tuin.
Fred rilt.
Het is zo koud.

Zo donker.
'En nu?' vraagt hij aan de rat.
De rat steekt zijn zwaard op.
'We gaan een prins redden!'
De rat wijst op zichzelf.
'Mij.'

2 Scheld nooit een heks uit

Ineens snapt Fred het.
'Je bent geen rat!
Ik dacht al, een rat praat toch niet!
Het is net als in sprookjes.
Eerst was je een prins.
Nu ben je een rat.'
'Dat klopt,' zegt de rat.
'En nu zoek ik een prinses.
Je weet wel, voor een kus.'

Fred kijkt naar het klimtouw.
Herman had ook een klimtouw.
'Jij noemde me net blinde kip.
Dat zegt Herman ook altijd.'
Hij wijst op het houten zwaard.
'Dat hangt naast Hermans bed!
En die hoed.
Herman heeft er net zo een!'
De rat knikt sip.
'Goed, best.
Ik geef het toe.
Ik ben geen prins.
Alleen maar Herman.'

‘Waarom zei je dat niet?’ zegt Fred.
‘Je bent mijn beste vriend!’
De rat schudt zijn hoofd.
‘Ik schaamde me,’ zegt hij zacht.
‘Het is zo stom om een rat te zijn.’
‘Deed een heks het?’ vraagt Fred.
‘Ja, ze werd boos op me.
Ken je die winkel op het plein?
Die met groenten en fruit?
Er staat zo’n oud wijf in.’
Fred knikt.
‘Ze schold me uit,’ zegt de rat.
‘“Rot op, lamstraal!” riep ze.
Alleen omdat mijn bal in haar druiven viel!
Nou, ik schold ook op haar.
“Gekke oude heks!” riep ik.
“Je fruit zit vol wormen.
Je kookt prei met zeepsop!”’

‘Nou,’ zegt Fred, ‘jij durft.’
De rat schudt zijn hoofd.
‘Ik had “het spijt me” moeten zeggen.
Ze was echt een heks.
Vannacht vloog ze mijn raam binnen.
“Je bent een vuile rat,” zei ze.
“En zo zie je er nu ook uit!”

Ze gaf me een lel met haar stokje.
Meteen had ik een vacht.
Ik kreeg een staart en een snuit.'
De rat grijnst.
'En erg lange tanden.
Ik beet haar dus in haar duim.'
'Dat was niet slim,' zegt Fred.
'Nu komt het nooit meer goed.'
Fred denkt diep na.
'Een prinses helpt niet.
Die wil vast geen rat kussen.
Nee, we gaan naar de heks.
Haar stokje jatten.'

3. Kom dan, lieve ratjes

'Waar woont de heks?' vraagt Fred.
'Achter haar winkel,' zegt Herman.
'Ze heeft daar een moestuin.'

Ze gaan op weg.
Fred hoort de kerkklok slaan.
Drie keer.
Wat is het al laat!
De rat stopt ineens.
'Hoor je dat?' vraagt hij.
'De kerkklok bedoel je?' vraagt Fred.
'Nee, een lied,' zegt Herman.
'Echt een goed lied.'
Nu hoort Fred het ook.
Maar is het wel een lied?
Het lijkt meer op geknaag.
Herman heft zijn snuit op.
'En wat ruikt het hier lekker!'
Een beetje zoet, denkt Fred.
Maar een fout soort zoet.
'Ik vind het maar vies,' zegt hij.
'Net of er iets ligt te rotten.'
'Ja, lekker toch?' roept Herman.

De rat springt op Freds hoofd.
'Ik wil er heen!
Hoor je dat lied niet?
Daar roepen wel duizend ratten in koor.
Knaag, knaag, knaag!
Ik wil er heen!'

Het geknaag wordt luider.
Een man komt de hoek om.
Hij draagt een hoed.
Aan de rand zitten touwtjes.
Aan zijn arm draagt hij een mand.
Met een kam raspt hij er langs.
Het klinkt net als geknaag.
'Ratjes!' roept hij.
'Kom dan, lieve ratjes.
Ik heb hapjes.'
Hij houdt de mand op.
De stank walmt door de straat.
'De koppen van rotte vis.
Oud brood, groen van de schimmel!'
Hij pakt een hakmes.
Het glimt in het licht van de maan.
'Kom dan, liefjes,' fluistert hij.

'O, nee toch!' zegt de rat.

'Zie je die touwtjes aan zijn hoed?
Dat zijn staarten!
De staarten van ratten.'
'Verstop je!' sist Fred.
'In de zak van mijn jas!'
'Maar die geur!' zegt Herman.
'Ik hou het niet meer!
Ik moet een oude korst.
Groen van de schimmel!
Hoor je al die ratten?
Ze vinden het lekker!'
'Er zijn geen ratten!' zegt Fred.
'Dat geluid is nep!'
Fred propt de rat diep in zijn zak.
Net op tijd.
De man heeft hem gezien.

4. Ik hoorde een rat

De man stopt bij Fred.
Zijn mand zet hij met een bonk neer.
Fred kan geen stap meer doen.
'Dag jongen,' zegt de man.
'Ook aan de wandel?
Fijn in het maanlicht?'
'Eh, ja,' zegt Fred.
'Fijn in het maanlicht, ja ja.'
Herman draait in zijn jaszak.
Hij wil naar buiten!
Hij wil een oude korst.
Fred hoort een zacht piepje.
Hij knijpt Hermans snuit dicht.

'Ik heb een vraag,' zegt de man.
'Mag dat?'
'Ja hoor,' zegt Fred.
Zijn stem trilt.
Fred vindt de man eng, erg eng.
Vooral dat hakmes.
Hij kletst er mee op zijn hand.
'Tak, tak, tak.'
Het is klein.

Klein maar heel scherp.
'Zag je hier soms een rat?' vraagt de man.
Tak, tak, tak, gaat het hakmes.
'Een rat?' zegt Fred.
'Ik vang ratten,' zegt de man.
'Dat is mijn baan.'
Hij houdt een hand bij een oor.
'Ik dacht dat ik gepiep hoorde.'
'Ik hoorde anders niks,' zegt Fred.
De man steekt zijn neus omhoog.
Hij snuift.
'Ik ruik rat!
Vlakbij en vers!'

5. De ratten achter de schutting

Dit gaat mis! denkt Fred.
'U ruikt vast uw vis,' zegt hij.
Die ruikt net zo als rat.
Of wacht eens ...'
Hij steekt een hand op.
Hij doet net alsof hij denkt.
'Een straat terug hoorde ik gepiep.
Gepiep en geknaag.
Bij een schutting.
Daar zat vast een rat.'

'Gepiep?' vraagt de man.
Hij gelooft Fred niet.
'Eh, pieper de piep?' doet Fred.
Hij doet Hermans piep na.
De man knikt
'Ja, zo klinken ratten.'
Hij likt langs zijn lippen.
'Lekker vette ratten.
Met staarten en plakhaar.
Bij een schutting zei je?'
Ja, bij nummer 15,' zegt Fred.

15

Bij nummer 15 staat echt een schutting.
Met rotte planken.
Er woont een waakhond achter.
Een buldog ...

6. Ten aanval!

De man loopt weg.
Fred haalt Herman uit zijn zak.
'Bedankt,' zegt de rat.
'Man, wat kun jij goed liegen!'
Fred gloeit van trots.
'En dat gepiep was ook knap,' zegt Herman.
Herman kijkt om zich heen.
'We zijn veilig.
We moeten snel naar de heks.
Haar stokje jatten.'
'We gaan door die steeg daar,' wijst Herman.
'De heks woont achter haar winkel.
Er is ook een tuin.
Kom, we klimmen de tuin in.'
'Is dat wel slim?' zegt Fred.
'Als ze nu een hond heeft?'
'Heksen willen geen honden,' zegt Herman.
'Ze houden van katten.
Wie is er nu bang voor een waakkat?'

Ze zijn nu bij het huis van de heks.
Herman kijkt naar de schutting.
'Die is best wel laag.

Er zitten niet eens punten op.
Of schrikdraad.'
Fred vertrouwt het toch niet.
'Die heks heeft vast iets ergers dan een hond!
Een draak.
Of trollen.'
De rat lacht hem uit.
'Doe niet zo bang!
Maak het klimtouw aan de muur vast.
Er zit een haak aan.
Gooi het touw de tuin in.'

Fred laat het touw los.
Een plof en hij staat in de tuin.
'Niks aan de hand,' zegt Herman.
'Er zijn hier alleen groenten.
Je bibbert toch niet voor een peen?'
Hij geeft een pompoen een trap.
'Of voor zo'n maffe pompoen?'
Fred kijkt naar de pompoen.
De pompoen kijkt terug.
In elk oog brandt een vlam.
Zijn mond is nog erger.
Een bek met tanden als een haai.
'Ten aanval!' brult de pompoen.
'Dieven in de tuin!'

7. Stamp ze tot moes

Daarna gaat het echt mis.
Bieten barsten uit de grond.
Ze grommen.
Een boom zwaait woest met zijn takken.
Appels suizen door de lucht.
'Niet doen!' gilt Fred.
Een appel knalt op zijn hoofd.
'Au, hou op!'
'Pas op!' piept de rat.
'Achter je!'
De pompoen hopt op hen af.
'Ik bijt je!' sist hij.
'Ik vreet je op!
Met huid en haar!'

'Stamp ze tot moes!' brult de boom.
'Dit wordt niks,' zegt Herman.
'Ze schreeuwen de buurt wakker.
Weg hier!'
Dat laat Fred zich geen twee keer zeggen.
Hij sprint naar het touw.

Fred rent de steeg uit.

Herman zit weer in zijn zak.
'De tuin was een slecht idee,' zegt Herman.
'Misschien het raam van de wc?'
'Daar pas ik nooit door,' zegt Fred.
'Jij niet,' zegt Herman.
'Maar een rat wel.'

Ze kijken naar links.
Ze kijken naar rechts.
Niets te zien.
'Snel!' zegt Herman.
Fred rent naar de deur van de winkel.
Hij rammelt aan de knop.
'Potdicht.
En ik zie geen raampje.
Of wacht eens.
Op de deur hangt een brief.'
'Lees voor,' zegt Herman.
'Ratten doen niet aan letters.'

'Beste klant,' leest Fred.
'Mijn winkel gaat een tijdje dicht.
Ik ga op reis.
Op 3 mei 2055 ben ik er weer.
Groetjes, de heks.'
'Zo lang!' briest Herman.

‘Dat noemt ze een tijdje!’
Hij kreunt.
‘Ze heeft vast haar stokje bij zich.
Nu blijf ik voor altijd een rat!’

8. De poes

'Jij boft nog,' zegt een stem.
Een witte kat springt van het dak.
'Een rat is niet snoezig.'
De poes is dat zelf wel, snoezig.
Met krulhaar en een strik.
'Ze is weg,' zegt de poes.
'Met haar stokje.'

'Was de heks ook boos op jou?' vraagt
Herman.
De poes knikt.
'Ik schold haar uit voor trut.'
'En toen greep ze haar stokje?' raadt Herman.
'Omdat je trut zei?'
'Nou, ik zei nog iets meer,' zegt de poes.
'Je neus is net peen!
Je haar lijkt wel stro.
Zulk haar hoort op een hooiberg!
Dat soort dingen.'

Nu herkent Fred haar stem.
De poes is Lies de Groen.
Lies is het kreng van de klas.

Nee, van de school.
Ze pest en knijpt.
Ze kliert en krabt.
Lies haat alles wat lief is.
Vooral poesjes.

'Hoe komt het dat je een poes bent?' vraagt Fred.
'Mijn fiets stond bij haar raam,' zegt Lies.
'De heks zei dat ik hem weg moest zetten.
"Voor jou niet!" zei ik.
En toen werd ze kwaad.'

'Het is waar, Lies,' zegt Herman.
'Je bent te snoezig nu.
Wat doen we?
Ken je nog een heks?
Of een prinses?'
Lies snuift.
'Voor een kus?
Een prinses kijkt wel uit!
Die vindt een rat te vies.'
Lies krult haar staart.
'Maar met een poes is dat anders.
Ze kust vast wel een poes.
Een poes is snoezig.'

Lies blaast.
'Bah, snoezig ...
Ik kan het niet!' huilt ze.
'Als ze me aait, krab ik haar!'

'Rat, rat,' hoort Fred ineens.
'Kom dan, lieve rat.'
De man met het mes komt er weer aan.

9. Ik ruik een rat, ik zie een kat

'Red me!' piept Herman.
Hij duikt weg in Freds zak.
De man komt de hoek om.
Het maanlicht glanst op zijn mes.
Aan zijn hoed hangt een nieuwe staart.
De staart van de waakhond.

De poes grijnst.
'Ja, zo hoort het.
Vang die vieze rat!'
Ze wijst naar Fred.
'Meneer!' roept ze.
'Hier zit een vette rat!'

Maar dan klinkt er nog een stem.
'Kat, kat!
Kom dan, lieve kat.
Miauw, miauw!'
Er is nog een man!
De tweede man heeft een net.
Het is groot genoeg voor een kat.
In zijn riem steekt een knuppel.
De man houdt een vis op.

‘Kom dan, kat.
Ik maak een bontjas van je!’

De poes springt in Freds nek.
‘Red me!’ sist Lies.
‘Anders krab ik je oog uit!’

‘Ik ruik een rat!’ joelt de man.
‘Ik zie een kat!’ roept de ander.
‘Blijf staan!’ roepen ze.
Fred denkt er niet aan.
Hij sprint keihard weg.

10. Wie wil er nu een rat kussen?

'Snel!' krijst Lies.
Ze zit in de nek van Fred.
'Ze zijn vlakbij!'
Fred kijkt om.
Dat is niet waar.
Hij ligt een halve straat voor.
Vlug de hoek om.
'Onder die auto!' zegt Herman.
Hij zit in Freds zak.
'Daar zien ze ons niet.'
Fred kruipt onder de auto.
'Kat, kat!' roept de man.
'Kom dan, kat.'
'Rat, rat!' roept de ander.
'Piep dan, rat!'
Ze gaan de auto voorbij.

'Zijn ze weg?' vraagt Herman.
'Niet voor lang,' zegt Fred.
Ze vinden ons vast weer.'
En ineens weet hij het.
'Als een prinses je kust, word je gewoon.'

'Dat klopt,' zegt Herman.
'Maar dat doet ze nooit.'
'Ik weet meer van sprookjes dan jij,' zegt Fred.
'Het hoeft geen prinses te zijn.
Elk meisje is goed, denk ik.
Zelfs Lies.'
'Bah!' zegt Lies.
'Wie wil er nu een rat kussen?'
'Een poes is nog viezer,' zegt Herman.

'Kies maar, Lies,' zegt Fred.
'Herman kussen of een bontjas zijn?'
Hij vindt een kus wel leuk.
'Oké,' zucht Lies, 'goed dan.'
Ze kust Herman recht op zijn snuit.
Een flits!
Vacht vliegt woest in het rond.
Twee staarten ploffen op de straat.
Lies is weer een meisje.
Herman is weer een jongen.
'Mag ik nu naar bed?' vraagt Fred.
'Ik val om van de slaap.'

Leestips

Leesplezier is bij het lezen het allerbelangrijkst! Een kind dat moeizaam leest, heeft wat handreikingen nodig om de fantastische wereld van boeken te ontdekken.

De cd bij dit boek is bedoeld als lekkere luister-cd.
Het eerste hoofdstuk is erop ingesproken.

Fred schrikt 's nachts wakker omdat zijn naam geroepen wordt. Er zit een vervaarlijke rat in zijn raam! De rat wil dat Fred meegaat om een prins te redden.

Uw kind kan zelf verder lezen om erachter te komen welke halsbrekende avonturen daarvoor nodig zijn ...

Daarbij kan het de flap van het boekje uitgevouwen houden.
De plaatjes op de flappen en de pictogrammen ondersteunen het verhaal dat in woorden verteld wordt. Voor dyslectische kinderen is het plezierig door de plaatjes al gericht te worden op de inhoud van het verhaal. Daardoor wordt het lezen van de woorden makkelijker.

Samen lezen is heerlijk. Een goede manier van samen lezen is: om de beurt een bladzijde voorlezen. Het is belangrijk om ervoor te zorgen dat het lezen niet te moeilijk wordt voor het kind. Als iets niet lukt, kunt u het woord of de woorden gewoon voorzeggen. Voorzeggen is een goede manier om de letters bij uw kind in te prenten. Het is beter om fouten te voorkomen dan ze te laten optreden.

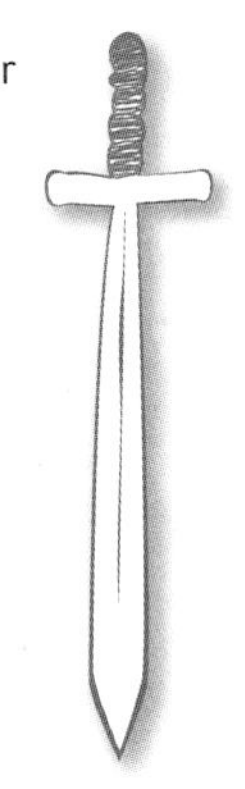

Als u weet dat uw kind bij iedere 'e' aarzelt tussen 'e' of 'a', is het beter de letter meteen voor te zeggen. Bijvoorbeeld bij het woord 'zwaard': zeg het hele woord of het eerste gedeelte van het woord 'zwaa-' voor en laat uw kind de rest zeggen. Net zolang tot de 'e' en 'a' makkelijker worden.

Laat uw kind zo nodig een regelwijzer gebruiken: een strook stevig papier met een gat ter grootte van één regel tekst.

Een heel fijne, effectieve leesmanier: u leest het boek **langzaam** (!) in op een bandje. Uw kind kan het bandje zo vaak het wil afspelen en zelf in het boek meelezen, zachtjes of hardop. U kunt het bandje naar believen 'aankleden' met muziek en geluiden (of laat uw kind hierbij helpen!), maar zorg ervoor dat de tekst nooit dóór de muziek heen gesproken wordt.

Woordspelletje

Herman is betoverd … Je kunt ook woorden betoveren! *Een staart* wordt een *taart* als je een letter weghaalt, *snuit* kun je veranderen in *tuin* als je de letters husselt. Maak vierkante kaartjes van ongeveer 3 bij 3 centimeter, ieder met één letter erop (duidelijk schrijven in boekletters). Kies een woord uit het verhaal en leg dat. Kijk dan om de beurt of je er een ander woord uit kunt 'toveren' door te schuiven met de kaartjes. Je mag letters weghalen, maar niet toevoegen. Elk goed woord is een punt. Speel tot niemand meer een woord kan vinden. Wie is de grootste tovenaar? Wellicht ontdekt u dat uw kind verbazend snel nieuwe lettercombinaties ziet; voor veel dyslectische kinderen hebben letters geen vanzelfsprekende, vaststaande volgorde.

Uittip

Een dyslectisch kind leert het beste door zelf doen en ervaren, met hoe meer zintuigen hoe liever. Bezoek samen eens het rattenriool in Noorder Dierenpark Emmen! Daar wonen ruim honderd ratten in een nagebouwd negentiende-eeuws riool. Voor meer informatie: *www.zoo-emmen.nl* of tel. 0591-850850.

Gouden tip: als uw kind een spreekbeurt gaat houden, laat het dan zo mogelijk zijn informatie driedimensionaal opdoen, dus niet (alleen) uit boekjes maar door middel van museumbezoek, excursie, enzovoort. Een goede zoeksite is *www.uitmetkinderen.nl*

Lettertype

De boeken in deze serie zijn op een ruime manier opgemaakt om uw kind het lezen te vergemakkelijken. Daarnaast zijn het de eerste in Nederland die gedrukt zijn in Read Regular, een lettertype dat speciaal is ontworpen om mensen met dyslexie te helpen effectiever te lezen en te schrijven! Bezoek *www.readregular.com* voor meer informatie over dit lettertype, en ervaar zelf eens hoe een dyslectisch medemens een tekst ziet.

Meer informatie over dyslexie
Bezoek onze site op *www.zoeklicht-dyslexie.nl*

Naam: *Tais Teng*
Ik woon met: *Jos, Tanja,Tom en twee goudvissen die Buffy en Spike heten.*
Dit doe ik het liefst: *Ik maak het liefst dingen, een beeld, een boek of een schilderij.*
Dit eet ik het liefst: *Geroosterde lamskarbonaadjes met druiven en rode bessen, ijs met slagroom en perziken daarna is ook best.*
Het leukste boek vind ik: *'Het listige mes'* van Philip Pullman.
Mijn grootste wens is: *Een mooi groot laserkanon om bergen te beeldhouwen.*

Naam: *Walter Donker*
Ik woon met: *Mijn vrouw Wilma, Ricky mijn dochter (7 jaar), mijn zoon Skip (3 jaar) een poes (Moortje), een Russische dwerghamster (Foetsie) en twee goudvissen in Deventer.*
Dit doe ik het liefst: *Muziek maken met een band, ik speel toetsen zoals piano of hammond.*
Dit eet ik het liefst: *Olijven, lekkere kaasjes en karbonaadjes van de grill.*
Het leukste boek vind ik: *'Spelen met vuur'* van Reinier van de Berg.
Mijn grootste wens is: *Ooit nog een grote wereldreis maken naar landen waar ik nog nooit geweest ben, bijvoorbeeld naar Zuid-Amerika en Afrika.*